Dla Josepha, Brune i Siméona.
Z podziękowaniami dla Mole.
A. D.

Tytuł oryginalny: Edmond, la fête sous la lune
Tekst: Astrid Desbordes
Ilustracje: Marc Boutavant
Tłumaczenie z języka francuskiego: Jacek Mulczyk-Skarżyński
Redakcja: Joanna Olech
Korekta: Anna Krasucka
Skład: Damian Chomątowski / Edgar Bąk Studio
Opieka produkcyjna: Joanna Danieluk
Druk i oprawa: Sindruk

Edmond, la fête sous la lune © 2013, Editions Nathan, Paris – France

For the Polish edition © Wytwórnia Magdalena Kłos-Podsiadło, Warszawa 2016

Wydrukowano na papierze Sora Mat Plus 150 g/m²

Wydanie pierwsze 2016
ISBN 978-83-64011-24-5

Wytwórnia
ul. Wełniana 31F
02-833 Warszawa

wytwornia.com

Astrid Desbordes

Marc Boutavant

Edzio

Przyjęcie w blasku księżyca

Wytwórnia

Wiewiórek Edzio mieszka w dziupli, w koronie wielkiego
kasztana. Mieszkanko – podobnie jak jego właściciel
– jest malutkie i bardzo schludne.

Edzio jest tak nieśmiały, że prawie nigdy nie opuszcza swojej dziupli. Zwykle smaży konfitury z orzechów laskowych albo czyta książki przygodowe. A wieczorem siedzi w łóżku i robi z włóczki pompony. Powtarza sobie wtedy:
„Wyrób pomponów – oto, czego mi w życiu trzeba".

W produkcji pomponów Edzio nie ma sobie równych. Ot, choćby kilka dni temu… zrobił sobie wspaniałą czapkę w kształcie piramidy.

Na najwyższym piętrze kasztana mieszka puchacz Jerzy.
W przeciwieństwie do Edzia, Jerzy ciągle gdzieś lata. Całymi
dniami zbiera piórka, mchy, korę, listki... wszystko, z czego
można uszyć kostium. Bo najbardziej na świecie Jerzy lubi
przebierać się za inne zwierzęta. Całą dziuplę zapełnił pudłami,
w których leżą kostiumy. A na każdym pudełku umieścił
rysunkową etykietkę: nosorożec, ptasznik, biały miś, jeszcze
bielszy miś, bóbr, sokół, jaszczurka, kaszalot...

Mieszkańcom lasu nieraz zdarzało się spotkać Jerzego przebranego za biedronkę lub jeża. Ale tylko nieliczni byli w stanie go rozpoznać.

Na parterze drzewa mieszka miś Antoni, znany z przyjęć, które organizuje na powitanie każdej pory roku. Przyjęcie u Antoniego jest zawsze nie lada sensacją. Wszyscy mówią tylko o tym. Edzio słyszy przez okno gwar i myśli sobie, że tańce, śpiewy i rozmowy muszą być fajne… Sęk w tym, że Edzio nie bardzo wie, jak się zachować.

Dlatego na koniec zawsze zostaje w domu.

– Podobno ma być ciasto…? – pyta mrówka misia Antoniego.

– Czy to prawda?

– Owszem, zgadza się – potwierdza Antoni. – Będzie ciasto.

– Super… – mówi mrówka. – A z czym, jeśli wolno spytać?

– Z niespodzianką. Takie są najlepsze.

Mrówce aż ślinka cieknie. Ciasto z niespodzianką! To ci heca!

Puchacz Jerzy wpada przelotem. W objęciach niesie pełno szyszek
– wkrótce zrobi z nich kostium wielbłąda. Zaciekawiony pyta Antoniego:
– To będzie bal PRZEBIERAŃCÓW, nieprawdaż?
– Być może – odpowiada miś. – Na pewno będzie to WYJĄTKOWE
przyjęcie. Już samo ciasto będzie wyjątkowe.

Jerzy zachodzi w głowę – jakie przebranie pasuje do
WYJĄTKOWEGO ciasta?

Wreszcie rozpoczyna się przyjęcie. Tłum zwierząt gromadzi się wokół kasztana.

Tym razem Edzio chciałby pojawić się na przyjęciu. Ot tak, żeby rzucić okiem!
„Ejże… – mówi sam do siebie. – Głupstwa ci w głowie. Zajmij się lepiej
konfiturami". I znów Edzio wraca do swoich rondelków. Otwiera jednak okno
na oścież, żeby lepiej słyszeć odgłosy balu.

Z parteru dobiega wesoła muzyka, ale Edzio jest markotny. Czuje się odrobinę samotnie. A nawet… więcej niż odrobinę. Jest mu smutno. Tak bardzo, że łzy płynące z oczu kapią do rondelka. By nie posolić łzami słodkich konfitur, Edzio czym prędzej zamyka okno i kładzie się spać.

Właśnie ma gasić światło, kiedy ktoś puka do drzwi.

To Jerzy, poczuł słodki zapach konfitur. Edzio tłumaczy, że właśnie usmażył ich pełen kociołek i – nie chwaląc się – od konfitur to on jest specjalistą. Podczas gdy Edzio szykuje kanapki dla Jerzego, ten – zachwycony – oznajmia:
– Mniam, Edziu, pazurki lizać te twoje konfitury… Aż mnie bierze ochota, żeby teraz poskakać w przebraniu wieloryba albo mewy. Dołączysz?

– Hm... Nie wiem. Raczej nie.

– No, cóż… szkoda. A właściwie… Nie musisz się wcale przebierać.
Możemy przecież powiedzieć, że masz na sobie kostium WIEWIÓRKI.
Chodźmy zatem potańczyć do Antoniego. Co ty na to?

Nie mija chwila, a Edzio bierze swoją czapkę z pomponów
i resztę konfitur.

Jerzy przebiera się za mewę i obaj lądują u misia Antoniego.

Antoniemu miło jest poznać Edzia. – Świetnie, że przyszedłeś
w towarzystwie tej uroczej mewy! – cieszy się miś. – Brakuje tylko
puchacza Jerzego, abyśmy byli w komplecie.

Przyjęcie trwa do późnej nocy. Edzio tańczy walca z biedronką i dyskutuje z misiem Antonim. Między jednym a drugim kęsem ciasta z niespodzianką mrówka prosi mewę, by ta opowiedziała coś o podniebnych przestworzach (Ach! Podniebne przestworza są takie wyjątkowe!). Mewa zaś prosi

pozostałych gości, by opowiedzieli coś o puchaczu Jerzym (Ach! Ten puchacz Jerzy jest taki wyjątkowy!). Na koniec wszyscy wybuchają śmiechem, kiedy Edzio tłumaczy, jak to – przypadkiem – odrobina soli wpadła mu do konfitur. – Ale to się więcej nie powtórzy – dodaje Edzio.

Jest późna noc, kiedy Edzio i Jerzy opuszczają przyjęcie.

Jerzy wcale nie frunie wprost do swojej dziupli. Chce jeszcze trochę
nacieszyć się przebraniem, które tak pięknie mieni się w blasku księżyca.
Życie mewy, pełne fal i wiatru, musi być naprawdę super – myśli sobie.

Po raz pierwszy w życiu Edzio kładzie się do łóżka i nie robi pomponów. Rozmyśla o puchaczu, o mrówce i o misiu. Marzy o następnym przyjęciu. A gdyby tak, dla odmiany, to on je zorganizował? Mógłby wtedy przebrać się za zebrę. To by dopiero było niezwykłe!

– Jutro zamienię na ten temat parę słów z Jerzym – postanawia.

– Tak czy siak, przygotuję konfitury dla wszystkich gości.
I każdemu wręczę po dużym pomponie. – Edzio uśmiecha się,
leżąc w łóżku. I dochodzi do wniosku, że takiego właśnie życia
mu trzeba.

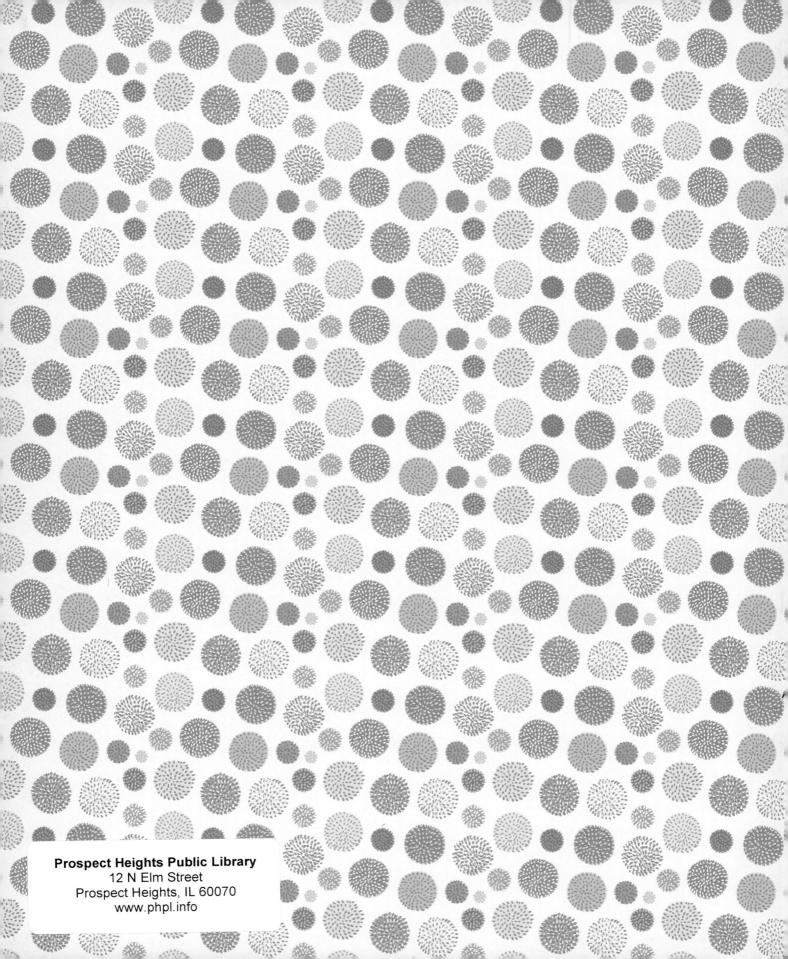